이륙과 착륙 사이

하늘빛으로 인생의
순간을 새기다

이륙과 착륙 사이

발행	2024년 02월 06일
저자	유장수
펴낸이	한건희
펴낸곳	주식회사 부크크
출판사등록	2014. 07. 15(제2014-16호)
주소	서울특별시 금천구 가산디지털1로 119 A동 305호
전화	1670-8316
E-mail	info@bookk.co.kr
ISBN	979-11-410-7049-6

www.bookk.co.kr

이륙과
착륙 사이

하늘빛으로 인생의 순간을 새기다

유장수 지음

BOOKK

머리말

생로병사는 인간의 기본 여정이다.
이 세상 태어난 사람은 피해갈 수 없다.
이 속에 희로애락이 있으니
태어남과 죽음 사이에
모든 이야기가 있다.

이륙과 착륙 사이는 마치
인간의 희로애락과 같으니
그 속에 시가 있다.

그 속에 기쁨도 있고
힘든 일도 있고
잊지 못할 아름다움도 있다.

비행을 통한 여행은
이동 시간을 단축해 주고
구석구석 경험하게 한다.

그동안
보고 느끼고 경험했던 일들을
한 편의 시로 적어 본다.

1. 이륙

산모의 고통으로 한 생명이 탄생한다
이륙은
중력의 무게를 거슬러
땅을 박차고 일어나는 것이다
중력을 이겨 내고 비상하는 것은
새로운 생명의 탄생처럼 신비한 것이다

선택

—

점이 선이 되듯
하나하나의 선택이 인생이 된다
나는 매일 선택한다

오늘은 누구를 만나고
무엇을 생각하고
무엇을 먹을 것인가

먹은 것이
몸이 되고
생각하는 것이
인생의 철학이 되고
오늘 만나는 사람이
인생의 동반자가 되니
선택은 인생이다

내가 선택한 삶

내가 선택했다
여기를
춥다
힘들다

그래도
경험하기로
내가 선택했다

스스로 선택했으니
후회도 없다

남은 건
좋은 경험으로

내 영혼을
풍부하게

선구자

가장 앞에서 하늘길을 열어 가는

새로운 미래를 탐험하는 먼 여정

때론 태풍을 피해 높이 날아가고

때론 별들과 대화하듯 고요한 하늘을 품에 안고

때론 토할 정도로 흔들리는 난기류도 뚫고

태양도 금성도 비도 눈도 가장 먼저 맞이하고

새로운 경험을 가장 먼저 맛보는

그대는 선구자

보이지 않는 힘

자석은 자기력이 있다
그러나 보이지는 않는다
철을 끌어당기는 힘
지구상 자기력이 미치지 않는 곳이 없다

전선에 보이지 않는 힘이 있다
전기가 흐르며 만드는 막강한 힘
온 세상을 밝히는 힘도 있고
온 세상을 이어주는 힘도 있다

지구는 중력이 있다
힘은 보이지 않지만
모든 물체를 끌어당긴다

보이지는 않지만
사람을 살리기도 죽이기도 하는
글이 가진 힘처럼!

방향

정면을 똑바로 봐라
이제 걸어가자
눈을 감고 걸어가자
방향이 맞는가

극으로 가면 나침판이 수직으로 선다
얼음과 눈뿐인 그곳에선
눈을 감고 걷는 것 같다
동서남북으로 어떻게 가야 하나
방법이 없다
제자리에서 돌고 돌 뿐

극단적으로 간다면
답은 없다
우리 삶의 방향은
극 이하에서 알 수 있지 않을까

중력

만물을 사랑하는 너
오늘도 나를 꼭 안아 준다

너의 포근한 품을
벗어나기 힘들구나

오늘 바람에 도움을 청해
땅을 박차고 올라와 보니

네가 감춰 놓은 아름다움을
볼 수 있구나

그러나 너의 사랑을
벗어나기 힘들다

잠시 네 곁을 떠났지만
다시 너의 곁으로 돌아간다

너의 끌어당기는 사랑을
그 어떤 사랑과 비교하랴

사람이 쏘아 올린 별

사람이 쏘아 올린 별
인공위성

나는 볼 수 없지만
그 별은 나를 내려다보고 있네

내가 뭘 하는지
뭘 보는지
무얼 먹는지

어디로 가는지
누구랑 있는지

내가 어렸을 적
별을 보고 꿈을 꾸고
별을 보고
무한한 상상의 나래를 펼쳤는데

이제는
별이 나를 보고
상상의 나래를 펼치네

오늘은 내가 어디를 가며
누구랑 있을 것이며
무엇을 먹을 것인가

항상 연결돼 있는
별과 나는
아주 가까운 친구다

별 친구

해 질 무렵
긴 여정을 준비하다,

동반자가 있으면 좋겠다고
생각한다

어느덧 해가 진다
나의 심심함을 달래 줄
친구가 하나둘씩 올라온다

별 친구들이다
어느새
하늘이 온통 빛으로 가득하다

하늘을 보며
별 친구들과 이야기하다 보면
심심할 틈이 없다

몇 광년을 달려온 친구도 있고
가까운 이웃 친구도 있고
늘 광채가 나는 친구도 있다

별 친구는
긴 여정에서 언제나
나를 실망시키는 법이 없다

저녁 무렵 이륙을 준비하며

선택의 연속

인생은 선택이다
선택의 연속이다

동수저, 흙수저, 은수저, 금수저
수저에 따라 선택의 폭은 다르다

출발점도 다르고
선택할 수 있는 것도 다르다

선택하는 게 아닌
누구에게나 같은 것은

하루는 24시간이라는 것이며
모두 언젠간 죽는다는 것이다

그 선택은
옳기만 한
그르기만 한 것은 아니다

삶과 죽음 사이에서
선택하고 선택하여

내 인생은
완성된다

변화

한여름 벗어 둔 옷을 챙겨 입을 때쯤이면
나무는 한여름 입었던 옷을 벗어 던지고
벌거벗은 채로 겨울을 맞이하겠다고 한다
세상은 변화가 일상이 되고 있다

돌고 있는 지구에
햇빛과 시간을 첨가하니
다양한 변화가 일어난다
식었던 사랑이 다시 돌아오고
미워하는 마음이 사랑으로 바뀌고

시간을 멈출 수 없으니
노화는 끊임없이 일어나고
햇빛을 차단할 수 없으니
계절의 변화는 계속 일어나고
지구를 멈출 수 없으니
변화는 쉴 새 없이 일어나는구나

변화가 없는 세상은
햇빛이 차단되고 시간이 흐르지 않고
움직임을 멈춘 세상일 뿐이다

달빛 아래

가을 풀벌레 소리가
아름다운 합창이 되고

은은한 달빛은
나의 어색함을 가려 주고
너의 아름다움을 보태 준다

아무 말이 없어도
느낄 수 있기에

나의 떨리는 손을
너의 손등에 올리니
나의 심장이 터질 것만 같구나

가을바람에 살랑이는 너의 향기를
어떤 꽃향기와 비교하랴

달빛 아래
너와의 만남은
지금도 생생해서
눈을 뜨기 싫다

밤하늘

낮 동안 파란 도화지에
구름이 그림을 그리더니
해가 수평선을 넘어가며
수평선에 불을 지른다
서쪽이 온통 붉은 빛이다

새 세상이 열린다
은은한 달빛의 하늘에
새로운 세계가 열렸다
환상인가 환영인가
이름 모를 수많은 별들과
가끔 긴 꼬리를 물고 떨어지는
별똥들

내 영혼을 그 공간으로 던져 본다
눈으로 볼 수 없는 아름다움이
환상으로 맺혀
내 몸으로 빨려 든다

유럽으로 가는 비행 중에

꽃의 유혹

나의 화려함은
생존을 위한 몸부림이다

사랑의 전령사
벌을 유혹하고
사람의 마음을 움직이니
잡초처럼 뽑히지 아니하고
생명을 잇는다

잡초는 끈질긴 생명력으로
버티지만
나는 화려함으로 우아하게
건재한다

속수무책
유혹당한 벌에게
나의 생명력을 가득 묻혀
암꽃에게 전하는
나의 화려함은
생존의 비밀이다

새집

자식을 키우려면 집이 있어야지
나는 돈 없이 집을 짓지

내년엔 누가 이 집을 이용할지
나는 모른다

배운 적도 없다
그러나 나는 예술가다

너희들은 집을 지을 생각을
해 봤니?

참새라고 비웃지 마라
나도 내 새끼 먹여 살릴 집은 있다

말 못 하는 사랑

말도 못 하고
표정도 나타내지 못한다면
사랑을 어떻게 표현할까

꼬리가 없으니 엉덩이를
사랑하는 사람 앞에서 마구 흔들까
그럼 미친놈으로 보지 않을까

사랑하는 사랑 앞에서 펄쩍펄쩍 뛴다면
사랑의 표현으로 느낄까
아니면 발작이 일어났다고 느낄까

사랑하는 사람에게 다가가
살포시 입맞춤한다면
빰따귀 맞지 않을까

눈으로 말을 할 수 있을까
웃지도 못하고 울지도 못하는데
눈으로는 말을 할 수 있을까

말할 수 있어서
얼마나 다행인가
내가 너를 사랑한다고 말을 하니

말 못 하는 짐승이라도
사랑 표현은 한다
그중의 하나는 입맞춤이다

물

나의 가장 친한 친구
먹어도 좋고
씻어도 좋고
항상 내 곁에 있어야 하는 친구

보고만 있어도 즐겁고
네가 있어야 안심이 된다
너는 나와 만물의 친구

항상 높은 데서 낮은 곳으로
흐르는 줄 알았는데
하늘로도 오르는구나

구름이 되어
네가 필요한 곳에
비와 눈으로
다시 세상에 내리니
너는 만물의 친구다

민들레

흰 꽃도 피우고
노란 꽃도 피우고
나 정도면 이쁘다고 생각하는데

사람의 주변에서 방긋방긋 웃으며
사람들을 건강하게 만들어 주는데
잡풀 취급하는 건가

모질게 나의 탄생을 막아도
빈틈만 있으면
인간 곁에 다가가 기쁨을 줄 것이다

이리 막고 저리 막아도
빈틈만 보이면
내 생명을 싹 틔우리라

봄비가 온 뒤에

봄비
생명수

대지와 나무들이
기다린 봄비

봄비가 온 뒤
생기가 가득하다

생명이 싹트는 냄새
싱그럽다

내리기 전과 후가
이렇게 다른가

온통 대지와 나무에
생기가 가득하다

푸른빛이 탱글탱글하다
생명의 냄새가 가득하다

봄의 향기

어렸을 적
들판을 거닐면 올라오는 냄새
봄의 향기다

풀들의 향기
땅의 향기
분명
봄만 되면 올라오는
생명의 냄새다

바람이 산들산들 불면
그 향기는
내 기분을 좋게 한다

따뜻한 햇볕이 내리쬐면
그 향기는
아지랑이가 되어 올라와
내 눈을 자극한다

봄의 향기
땅의 냄새
봄만 되면 어김없이 올라오는 향기
나를 자극하는 향기는
생명의 진한 향기이다

봄나물 사랑

얼었던 땅에서
죽었을 것 같은 땅에서
올라온 생명체

부활을 알리나
환생을 알리나
무지한 나를 깨우치네

눈으로 보니 즐겁고
너를 취하니
향기가 내 입안에 가득하다

너를 취하니
죽었던 네가 또 내가 되어
너와 나는 한 몸이다

생명의 탄생
또 다른 시작을 알리는 봄나물
너는 나의 사랑이다

곶감

겨울밤 출출할 때
생각나는 곶감

호랑이도 울고 간다는
곶감의 이야기

얼마나 맛있으면
울던 아이가 울음을 뚝 그칠까

달콤한 너의 살을 내주고
딱딱한 너의 씨앗들을
널리 퍼트려 달라고
이 겨울 나를 유혹한다

그런 마음을 알고
너의 씨앗을

과감하게 여기저기
퍼트린다
조건이 되면 다시 태어나라고

기다림

기다림의 일상
설레는 기다림, 행복한 기다림
불안한 기다림, 초조한 기다림
설레건, 행복하건, 초조하건
기다림은 운명이다

고향에 가는 버스를 기다림은
설레는 기다림일까?
행복한 기다림일까?
여행 일정을 예약하고
다가오는 날을 기다림은
설레고, 행복한 기다림

사랑하는 연인을 기다림은
설레는 기다림
행복한 기다림
한겨울 추운 겨울을 견디며

봄을 기다리는 마음은
분명 생명을 기다리는 마음이다

사형수의 기다림은
담담한 기다림일까?
불안한 기다림일까?
뉴욕에서 한국으로 가는
긴 여정을 기다리고 있다
이륙을 기다리고 있다

기다림의 연속 속에서
난 늘 설레고 행복한 기다림을
가지고 싶다

봄바람

봄이 오는 소식은
요란한 바람으로부터 시작한다.

천지 창조할 때는 얼마나 요란했을까

생명을 창조하는 바람
방향을 예측할 수 없는 바람
새로운 생명의 탄생을 불러오는 바람

봄이 오는 소리는
요란한 바람으로부터 시작한다

요란한 바람으로부터
난 봄이 가까이 왔음을 느낀다

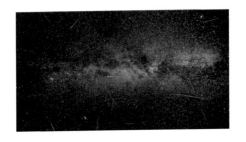

야간 비행

하늘이 바다가 되고
바다가 하늘이 되니
우주다

배가 별이 되고
별이 배가 되니
별과 배가 친구다

수억 년을 날아온 별과
배가 친구가 되니
과거도 없고 현재도 없다

공간이 면이 되니
연필 비행기가 되어
그림을 그리며 날아간다

안개

안개가 끼면
세상이 멈춘 것 같다

안보이면 멈춘다
편안하다

간다면
천천히 가고

보이는 만큼
가고

빠르면
불안하다

늘 안개가 끼는 게 아니듯
늘 화창한 날도 없다

때론 쉬어 가고
때론 달리고
때론 멈춰 보자

영원할 것 같은 안개도
언젠간 사라진다

씨앗의 긴 여정

자손을 얻으려면
열매가 열리고

먹음직스럽다는 듯
누군가의 손길이 다가와

먹어 줘야 한다
그리고 씨앗이 버려져

싹을 틀 수 있는 환경이
만들어져야 한다

수많은 과일 중
하나는 나의 자식이
될 것이다

먹음직스럽게
만들어
나를 희생시켜야 한다

또한 버림을 받아야 한다
그래야 성공이다

버림받은 씨앗이
나무가 되면
내가 영원히 살 수 있다

나를 먹고
나를 버려 줘라

잠

꿈을 꾼다
행복한 꿈을 꾼다

잡생각이 많으면 잠이 안 온다
행복한 꿈을 꾸면 잠이 잘 온다

잠을 잘 자면
아침이 개운하다

오늘도 좋은 꿈을 꾸고 싶다
행복한 아침을 위하여

2. 상승

긴 여정을 떠나려면 높이 올라가야 한다.
상승해야 한다.

처음부터 높이 올라갈 수는 없다.
연료를 태워 가벼워져야 높이 올라갈 수 있다.

배워야 한다.
배우고 익혀야 한다.
먼 인생을 항해하려면 날갯짓을 배워야 한다.
내 몸이 익숙해질 때까지 배우고 익혀야 한다.

높이 올라가 높은 고도에 수평을 잡아야 한다.
그러면 순탄하게 항해할 것이다.
멀리 갈 것이다.
목적지까지 흔들림 없이 갈 것이다.

인생의 긴 여정

높이 올라가려면
가벼워야 한다

버리면
가벼워진다

멀리 가려면
높이 올라가야 한다

먼 곳엔
내가 몰랐던
또 다른 세상이 있다

오늘도
알기 위해
버린다

안녕하세요

낯선 곳에서 누군가 내게
익숙한 말로 인사를 걸어올 때
말 못 할 뭔가가 느껴진다

내게 익숙한 언어가
여기저기서 들리고
익숙한 단어가 새겨진
티셔츠를 보면
생각지도 못한 행복이 밀려온다

문화는 힘이고 그 힘은
언어로 연결된다
세계 곳곳에서 한류가 느껴진다

내가 익숙하지 않은 나라를 가더라도
내게 익숙한 말로 소통이 된다면
여행도 쉬울 것이고 만족도 더할 것이다

언젠가는 그럴 날을 기약하며

장벽

같은 언어를 사용해도
말이 안 통하면 답답하다
장벽이 있는 것이다

다른 언어를 사용해도
표정이나 미소로
알아들을 수가 있다면
장벽이 없는 것이다

언어가 같든 다르든
말이 안 통하면
장벽이 생긴다

언어가 같든 다르든
장벽을 허무는 쉬운 방법은
잔잔한 미소이다

중력

지구는 달을 끌어당기고
태양은 더 많은 행성을 끌어당긴다

태양 같은 인품의 사람은
많은 사람을 끌어당기지만
쓰레기 같은 인품의 사람에게는
똥파리만 꼬인다

대형 쇼핑몰은 주변의
모든 상권을 끌어들이고
절약하고 돈을 모으면
주변의 돈들이 친구 하자고
몰려온다

중력의 법칙을 안다면
친구도 생기고
돈도 생기니
인생이 풍요롭지 않을까

진리

해가 뜨고 지는 것은
지구인의 상대적 진리
해가 항상 그 자리에 있는 것은
우주인의 절대적 진리

사계절이 있는 것은
한국인의 진리
여름만 있는 것은
적도 인의 진리

지구가 둥글다는 것은
우주인의 절대적 진리
지구는 평평하다는 것은
지구인의 상대적 진리

달이 둥글다는 것은
지구인의 절대적 진리
달이 평평하다는 것은
암스트롱의 상대적 진리

상대적 진리를
절대적 진리라고 믿는 것은
경험이 부족하거나
생각이 얕아서가 아닌가

공간의 행복

내가 필요한 공간
다리를 뻗을 수 있는 공간
누울 수 있는 공간
누울 수 있으면
더욱더 행복하다

같은 공간에 있고
같은 비행기를 탔지만
내 자리는 어떤 공간인가
누울 수 있나
다리만 뻗을 수 있나

목적지는 같아도
방향은 같아도
같은 장소에 있어도

내 공간은 어떤 공간인가

누울 수 있나
다리를 뻗을 수 있나

한정된 공간의 속에서
나의 행복은
어디까지인가
다리 뻗을 수 있는 공간
누울 수 있는 공간

그건
목적지에 누가 기다리고 있나
거기서 무엇을 할 것인가
꼭 가야 하는 이유가 있는가에 따라
다르다

공간의 행복
그 공간이
누울 수 있는 공간이면
더욱더 행복하지 않을까

또 다른 세상

비가 폭우처럼 내려도
구름 위는 해가 반짝반짝

눈을 뜨고 보면
안 보여도

눈을 감고 마음의 눈으로 보면
또 다른 세상이 보인다

여름에는 구름이 비가 되지만
겨울에는 구름이 눈이 된다

진리도 세상도 변하니
환상과 착각을 구분하기 어렵다

우아 일체(宇我一體)

높이 나는 갈매기는 근심이 없다
아름다움에 취해
우주의 한 공간을 날고 있으니
내가 공간이고 내가 우주다

자유로운 너의 영혼을 놓아 주자
저 높은 하늘로 반짝이는 저 별로
네가 별이 되고 네가 우주가 되고
온 우주가 네 안으로 들어오고

조화로운 우주와 내가 일체가 되니
온 세상이 아름답다

한동안 빌려 쓰는 육체를 벗어나
너의 영혼을 자유롭게
저 공간을 날아 보자
온 우주가 너를 감싸고 휘감아
전율이 느껴진다

빙하 시대

태양이 조금 남쪽으로 내려가고
밤이 조금 길어졌다고
겨울이 왔다

태양이 한 달 동안 가려지면
빙하 시대가 올 것인가
올 것이다
바닷물도 꽁꽁 얼어붙어 버릴 것이다

얼어버린 바닷물로
국경은 애매해지고
많은 동물들이 죽겠지
인간도 마찬가지다

태양이 가려질 수 있는 조건은
언제든지 있다
화산 폭발, 혜성 충돌
가능성은 있다

지구에 사계절이 있는데
우주에 사계절이 없겠는가
일 년 365일 하루 24시간
우주의 1년은 얼마일까

낯선 혜성이 찾아오면
빙하 시대로 가지 않을까

온탕 냉탕

오늘은 남쪽으로
온탕이다
내일은 북쪽으로
냉탕이다.

시차를 넘나들어
온탕 냉탕이 일상이다
변화가 있기에
인생이 재미가 있는 것일까

내가 늘 살던 곳도
나한테는 지루하지만
낯선 이한테는
흥미로운 경험이다

경험을 돈 주고 살 만큼
우리는
늘 새로운 경험을 느끼고 싶어 한다

동서남북 여기저기
온탕 냉탕을 한 주에 경험하고
또 새로운 변화를 느껴 보자

시차

태양을 따라갔다
서쪽으로 갔다

서양이다
내가 놀던 곳과 크게 다르지 않구나

수면 시계, 배꼽시계, 태양 시계
각각 따로 놀고 있구나

수면 시계는 자라고 하는데
태양 시계는 일어나라고 하는구나

배꼽시계는 밥 달라 하는데
태양 시계는 자라고 하는구나

철새야
이제 너희들을 이해하겠다

동서로 이동을 안 하고
남북으로 이동을 하는 이유를

서쪽 비행

서쪽으로 간다
해를 따라간다
빨리 따라오라고 해가 재촉한다
온 힘을 다해 따라간다
해야 먼저 가라
뒤따라 갈게

저녁노을이 진다
이제 내려야 한다
저녁이다
내 몸은 새벽인데
여기는 저녁이구나

술 한 잔이 생각난다
내일은 동쪽으로
고향을 향해 간다
해를 맞으러 간다

동쪽 비행

동쪽으로 간다
해가 뜨는 동쪽으로 간다
해가 빨리 지나간다
금방 해가 진다

날짜 변경선을 지나간다
어두워진다
동쪽으로 간다

해가 다시 뜬다
아까 봤던 해다
다시 오늘 아침을 맞이한다

얼마나 빠르게 해가 달려왔나
다시 해가 나를 반기는데
날짜는 변함이 없다

뻐꾸기 울음소리

남의 둥지에 알을 낳는
뻐꾸기 비밀을 알고부터는

뻐꾸기 울음소리를
들으면 왠지 구슬프다

다른 새끼를 밀치고
먹이를 독식하라
다른 새끼들을 떨어트려라

뻐꾸기 새끼한테 주는 지령이다

뻐꾸기 울음소리는
생존의 지령이다

참새의 하루

비바람이 불어도
먹고는 살아야지
매일매일 먹이 활동

어떻게 배웠는지
집도 잘 짓는다

먹이 활동을 못 하면
며칠을 굶을 수도 있고
죽을 수도 있다

인간은 참새와 다르게
돈을 만들어
저축한다

일을 안 해도
먹고 살 수 있는 인간도 있지만
빚이 있는 인간도 있다

참새는 빚도 없고
저축도 없고
매일매일 하는 먹이 활동이 행복이다

봄이 왔으니
먹거리가 충분할 때
짝을 찾아 보금자리를 꾸려 보자

뻥튀기

뻥튀기의 묘미는
뻥 소리와 부풀려진 양이다
한 대박이 한 자루가 되니
나오는 순간 행복감이 말도 못 한다

절대적 조건이 있다
말라야 하고 열 받게 해야 한다
고압으로 강냉이를 실신 직전으로
몰아가야 한다

강냉이가 죽겠다고
아우성칠 때
순식간에 풀어 주면
자폭을 하는 것이다

먹어도 먹어도 줄지도 않지만
먹어도 먹어도 배가 부르지 않으니
살 찐 사람도 좋고
마른 사람도 행복하다

3. 순항

높은 고도로 올라 순항한다.
먼 여정을 항해하는 것이다.
순항하다 보면 난기류도 만나고
그것을 헤쳐 나가다 보면 목적지가 저만치 보인다.
꽃길만 걷는 인생이 어디 있으랴.
인생의 희로애락이 인생 아니던가.
기쁨이 있으면 슬픔도 있고
불행하다고 느꼈던 것이 추억이 되고
하루의 행복이 쌓이다 보면
인생이 행복 아니던가.

상대 속도 제로

방향이 같고 절대 속도가 같다면
상대 속도는 제로다
상대 속도 제로에서는 많은 것을 주고받을 수 있다

절대 속도가 달라도 방향이 같다면
상대 속도는 크지 않아 오랫동안 동행하여
멀리 갈 수 있다

절대 속도가 같아도
방향이 다르면
잠시 스쳐 갈 뿐이다

방향이 같다면
속도감을 느끼지 못하니
세월을 느낄 수가 없다

방향이 같은 친구와 동행하면
인생이 지루하지 않고
술잔도 주고받으며 오래 갈 수 있다

방향이 다르면
친구라 할지라도
상대 속도 차이가 크니
잠시 스쳐 갈 뿐이다

상대 속도 제로에서는
오래갈 수 있고, 멀리 갈 수 있고
지루하지 않은 길을 갈 수 있다

천국을 걷다 보면

한 발 두 발 걷는다
천국을 걷고 있다

걸으면 걸을수록
밀려오는 환희

한 발 두 발 걷고 있다
천국을 걷고 있다

생각이 멈추고
시간이 멈춘
고요한 천국을 걷고 있다

암스테르담에서 산책 중에

짚신 장수와 우산 장수

오늘은 겨울비가 온다
그러나 왠지 반갑지 않다
기다리던 비가 아니라서 그런가
비가 오니 우산 장수가 생각난다

장사를 하던 두 아들을 가졌던 어머니
늘 걱정했거늘
생각만 바꾸니 늘 행복했다

어제는 달러로 한국 돈을 1,318에 샀다
오늘은 한국 돈이 1,296원이다
다시 달러를 샀다
달러가 불어났다

달러도 있고 한국 돈도 있으면
환율이 내려도 좋고 올라도 좋다
달러도 돈이다
돈으로 돈을 산다

돈 버는 이유

나를 좋아하고 내가 좋아하는 사람과
쓰기 위해
먹기 위해
돈을 번다
여행하기 위해

충분하면 즐거움이요
모자라면 고통이다

내 몸이 움직이지 않아도
돈이 굴러 들어온다면
즐거움이 더할 것이나
내 몸이 움직여야 돈이 들어온다고 하면
쓰고 나면 고통이 찾아온다

기다려라
돈 쓰는 즐거움이 고통이 되지 않을 때까지
내 몸이 움직이지 않아도 돈이 들어올 때까지
돈을 퍼내도 퍼내도 넘칠 때까지

쓰고 나면 고통이 따르는 돈은
미성숙한 돈이다
성숙한 돈이 될 때까지

기다리자
기다리고 참고 참자
써도 써도 넘칠 때까지

뉴욕

밤과 낮이 바뀌는 뉴욕에 왔다
서머 타임이니 시차가 13시간이다
1시간 시차 적응에 하루가 필요하다

난 다시 내일 가야 하니
여기 밤과 낮이 필요 없다
낮에는 깨어 있고 밤에는 자야 하는
자연의 섭리를 거스른다

일이 좋으면 자연의 섭리쯤이야 싶지만
일이 고달프면 모든 것이 고달프다
어차피 좋아서 했으면
즐기자
즐길 때 최대로 즐기자

뉴욕 센트럴 파크 산책 중에

표현

말로 표현을 한다
몸으로 표현을 한다
얼굴로 표현을 한다
표현을 못 하고
마음속에만 품고 있다

내가 못 하는 거다
밖으로 표현을 못 한다
사랑합니다
미안합니다
고맙습니다

오해가 없는 표현은
말로 하는 표현일 것이다
이제는 자주 하자

참나무

돌쇠가 힘자랑할 때 쓰던 나무
마르기 전에 쪼개야 쫙쫙 갈라진다
속 타는 마님의 마음을 참나무는 알려나

지속력과 화력은
참나무의 매력이다
참나무의 불꽃은 영롱하다

참나무가 타는 듯한 사랑은
긴 겨울도 긴 줄 모르겠네

가을이 오면

뺨에 스치는 바람이 신선하다
비에 젖은 낙엽을 밟으며 걷다 보면

향긋하지도 않고 구수하지도 않지만
기분 좋은 냄새가 내 코를 행복하게 한다

황금빛 단감과 연기가 피어나는 시골집은
한 폭의 그림이다

저녁 무렵 굴뚝에 연기가 피어오를 때
멀리서도 낙엽이 타는 구수한 냄새가 난다

갓 수확한 쌀밥과 청국장의 맛에
입안에 행복이 가득하다

가을이 오면 눈을 감으나 뜨나
왠지 모를 행복감이 밀려온다

뒷산 산책 중에

시간을 멈추게 하는 기술

태양을 기준으로 하면 해시계
먹는 것을 기준으로 하면 배꼽시계
우주인이 보는 기준으로 하면 UTC

여행하다 보면 배꼽시계를 이용하는데
의외로 정확하다
잠을 자면
배꼽시계는 멈춘다

지구가 빨리 돌면 시간이 빨리 가고
늦게 돌면 늦게 갈 것이다
지구가 멈추면 시간도 멈춘다
그러나 그럴 가능성은 없다

하루가 24시간이고 원은 360도이니
지구는 1시간에 15도씩 돌고 있다
1시간에 15도씩 날아간다면
해 시계는 멈춘다

또는 지구가 도는 꼭짓점인 북극점이나 남극점으로 가면
해 시계도 멈추지만, 우리 몸도 얼음이 된다

우리는 가끔 여행을 통해
해시계를 느리게 가게 하거나
빨리 가게 한다

자동차가 빨리 가는 것을 느끼는 것은
주변의 참조물이 있기 때문이다
참조물이 없는 비행기가 빠르게 날아가도
비행기 탄 사람은 속도를 느끼지 못한다
참조물이 없는 우주 속에는 시간은 없다
우리는 어쩌면 시간이 있다는 착각에
살고 있는지도 모르겠다

시간당 15도로 날아갈 수도 없고
지구가 돌고 있는 꼭짓점인 극에도
갈 수 없다고 하면
해 시계를 멈추는 방법은
참조물이 없는 굴속에 들어가는 것이다
컴컴한 굴속에서는 해시계는 반드시
멈출 것이다

올해도 얼마 안 남았음을 느낀다면
시간을 멈추는 기술을 사용하라
시간이 멈춰질 것이다

도시를 떠나니 희망이 보인다

불만 보면 날아드는 불나방
죽든지 살든지 관심이 없다
모든 불이면 날아든다

그 유전자 속에는 불이 있는 곳에
날아가야만 하는 숙명이 있는 것인가
처참하게 불에 탄 시체들
시체가 넘쳐나도 끊임없이 날아든다

불빛으로 출렁이는 도시
도시로 달려드는 사람들
먹고살기 위해, 돈을 벌기 위해
불나방과 같은 것인가

도시를 떠나니 불빛이 사라지고
별이 보이고
시상이 떠오르고
먹을 것이 지천으로 널려 있으니
희망이 보인다

나침판

북위 70도 이상 올라가면
나침판은 일을 못 한다

나침판의 기능은 사라진다
방향을 결정하는 도구로 쓸 수가 없다

사방이 다 눈으로 둘러싸여 있으니
방향을 잡을 수가 없다

어디로 가야 할까
가도 가도 확신이 안 서면

제자리 서서
죽음을 기다리나

동이 틀 때까지 기다리다 보면
한 가닥 실마리가 나올 수 있다

가다가다 방향을 못 잡으면
기다려 보자

야간 비행

해가 진다
배가 별이 되었다
배가 별이 되니
배와 별과 친구가 되었다

배와 별이 친구가 되니
이야기꽃이 터진다
배는 지구에 있지만
지구를 본 적이 없다

별들이 본 지구를
이야기해 준다
별들이 우주의 역사를
이야기해 준다

배는 주인이
고기 잡은 것에 관심이 없다
배는 밤이
기다려진다

별들이 이야기해 주는
우주의 역사
지구 이야기가
너무너무 기다려진다

난기류

살다 보면 한 번쯤은 만나는
인생의 난기류

인생이 평탄하기만 하면
무슨 재미가 있겠는가
난기류
날 긴장하고 잠시 두렵게 하지만

이 또한 잠깐이다
곧 평온이 찾아온다
비가 오면
해도 뜨고

어두운 밤이
날 두렵게 하지만
이 또한 잠깐이며

맑은 해가
미소 지으며
떠오른다

난기류
내 인생의 자극제

수평선

저 멀리
하늘과 맞닿은 선

눈에 보이지만
실체가 없는 것

다가갈수록
멀어져 가는 것

보이지만
만질 수 없는 것

아무것도 없는 공간에
유일한 참조

수평선이 있기에
내가 수평을 잡는다

아무것도 없어 보이지만
내 삶의 수평선은 있다

4. 강하

강하 시점이 오면 목적지에 가까이 왔다는 뜻이다.
착륙 준비를 해야 한다.
준비해야 연착륙을 할 수 있다.
누구나 찾아오는 정년이 있다.
준비된 정년은 아름다운 착륙이 될 것이다.

동틀 무렵

가장 어려운 시기

가장 추운 시간은
새벽이다
동틀 무렵이다

등산의 가장 힘든 지점은
정상 바로 밑이다
희열을 맛보려면 정상을 올라야 한다

가장 힘든 시간이
목적지에
거의 다 왔을 때이다

가장 추운 시간이
지나면
새벽이 온다

해가 뜨는 것을 보려면
가장 추운 시간을
지나야 한다

오로라

파도처럼 움직이는
불빛의 조각들
영혼들의 불빛인가

북쪽으로 끝없이 펼쳐지네
영혼들의 모임인가

북극에서 잠시 쉬면서
먼 여행을 준비하나

북두칠성을 향하여
북극성을 향하여

몇 광년을 가야 하는
고향의 별을 향하여

지구를 떠나는 아쉬움에
북극에서 나누는 춤인가

화려하지도 않으면서
고요한
침묵의 빛이다

별

—

어둠이 내려야 한다
구름이 방해를 하지 말아야 한다
하늘이 맑아야 한다
그래야
별이 보인다

어둠이 내리면 두려움이 생긴다
별은 그것을 사라지게 한다
상상의 나래를 펼친다

별들이 그림을 그렸다
별들을 이어 본다
아름다운 그림이 나온다
무한한 그림들이 나온다

나는 오늘도 높이 올라 왔다
별들이 나를 반긴다
반짝반짝
별들과 이야기를 한다

어, 해가 뜬다
내일을 약속하며
별들과 작별한다

늙음

나이가 든다는 것은
허물을 벗을 준비를 하는 것

낡은 육체의 옷을 벗어 던지고
새롭게 날아갈 준비를 하는 것

낡은 옷에 집착하지 말고
새로운 탄생을 준비해야 하는 것

나이가 든다는 것은
영혼이 살찌는 것

옷은 낡아가고 있지만
수련이 끝날 때까지 입고

풍부하게 살찌워
허물을 벗고 날아가는 것

나이가 든다는 것은
축복이다

눈

세상을 본다
보이는 세상이
눈으로 들어온다

책을 읽는다
읽은 내용이
눈으로 들어온다

눈으로 들어온 모든 것들이
내 세상이다
그 세상이 투영되어 보인다

기쁜 눈
슬픈 눈
맑은 눈
영롱한 눈

눈을 감을 때까지
나는 또 어떤 세상을 담을까

짠맛

싱거우면 맛이 없다
소금을 쳐야 제맛이 난다

저염식을 누가 강요하나
누가 맛없는 음식을 먹게 하나
누가 우리 몸을 병들게 하나

짠맛의 힘
맛있다
소금은 음식을 맛있게 한다
소금은 태초의 맛이다

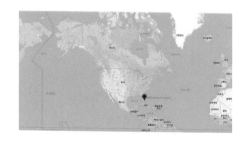

휴식

멀리 날아 왔다
한국에서 태양이 뜨면
여기는 태양이 떨어진다

비행기는 엔진을 끄면
휴식이다
나는 모든 것을 차단해야
휴식이다

햇빛도 차단
배고픔도 차단
가족도 차단
친구도 차단

그래도 인간인지라
카톡도 보내고
궁금증도 해소해야 하니
모든 것이 차단이 안 된다

한두 시간의 꿀잠은
재충전의 원천이다

김장

노란 속이 탐스럽다
소금에 절여지면
양념과 섞일 준비를 한다

이제 갖은양념과 만나면
그 맛은 무지개 맛이다
김장은 종합 예술이다

이제 푹 삶은 수육과
김장 김치가 만나고
막걸리 한 잔이면
부러운 사람이 어디 있겠는가

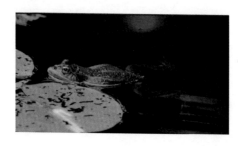

개구리

가을이 오니 땅속으로 들어가야지
그런데 들어가기 싫다
여기에 가마솥이 있네
여기 한번 들어가 보자
너무 좋다
가마솥의 물을 즐기자
겨울이 오는데도 여기는 천국이구나
슬슬 잠까지 오는구나
즐기자
물이 끓는지 나는 모른다
나는 이미 깊은 잠에 빠졌다
물이 끓기 전에 즐기자
서서히 물이 데워지고 있으니
누가 그 고통을 느끼랴
물이 끓기 전에
가마솥 물을 즐기자
100도는 누구에게나 오지 않는가?

순환

남은 음식물을 쓰레기로 처리하면
악취가 나고 비용이 든다
그러나 발효균과 지렁이한테 주면 에너지가 된다

순환을 시키면
자연의 미생물이 처리하니
자연은 위대하다

뒷간이 사라지고
뒷간 처리물을 깨끗한 물에 섞어 버린다
낭비도 그런 낭비가 없다

모든 것이 순환되니
미생물도 지렁이도
나와 같은
나의 친구다

가을 숲 산책

가을 숲속 길을 걷는다
하늘이 파랗다
내 마음이 하늘 속으로 들어간다

길을 걷는다
누가 살포시 나를 안는다
바람이다
포근하다

길을 걷는다
누가 나에게 편지를 준다
나무가 낙엽에 시를 적어
나에게 준다

나도 빈 낙엽에 시를 적는다
바람을 통해
내 시를 들려 준다

길을 걷는다
향긋하다
가을꽃이 향기로 나에게 말을 건다
행복하다

가을 산책
혼자 걸어도
혼자가 아니다

내게 말을 걸고
내 이야길 들어 줄
벗이 있으니
난 행복하다

고향

고향이 어디냐고 물으신다면,
"서울입니다."

구체적으로 물으신다면,
"101동 301호입니다."

도시화율이 91%인 나라
고향이 다 서울인 나라

우린 다 동향이다
우리 고향은 다 서울이다

더 이상 고향을 묻지 마라
내 자식은 고향의 뜻도 모른다

내가 어릴 적 추억이 있었던 곳
부모님이 생각나는 곳

친구들과 놀던 동산
이젠 아파트 놀이터가 동산이구나

고향
더 이상 고향을 묻지 마라

삶의 질

근로 시간 외의 시간
내겐 얼마의 잉여 시간이 있나

생활비를 제외한 잉여의 자금
내겐 얼마나 있나

내가 가족과 보내는 시간은
내가 좋아하는 일을 하는 시간은

삶의 질은
잉여 시간 확보에
잉여의 자금 확보에
있다

내가 좋아하는 사람과
얼마나 많이 보낼 수 있나

5. 착륙

목적지에 왔다.
착륙을 해야 한다.
연착륙을 해야 한다.
아름다운 착륙을 해야 한다.

아름다운 착륙은
새로운 이륙을 준비한다.

겨울

춥다
그래도 좋다

한여름 불쾌지수을 끌어올렸던
습기도 사라지고
찬바람이 속살을 파고든다

황토방 군불 땐 아랫목이
그립다

두꺼운 이불을
사랑하는 사람과 같이 덮고 있어도
부담스럽지 않다
온기가 더해지니
따스함이 온몸으로 전해진다

이러다 손주보다 어린 자식이
생기는 것은 아닌가
그러나 하늘을 봐도 별을 딸 수 없으니
천만다행이다

까치밥을 남겨 두는 여유도 있고
겨우내 먹을 김장도 했고
사랑하는 이도 있으니
꼼짝달싹 못하는 눈이 오더라도
나는 행복할 것이다

은퇴란

은퇴란 가을이다
봄에 씨 뿌리고
가을에 수확하여
겨울에 따뜻한 방에서 군고구마
먹는 맛이라고나 할까

풍작을 이룬 농부는
겨울이 와도 두렵지 않지만
흉작 한 농부에게는
겨울이 너무나 길 것이다

은퇴란 가을이다
현실은 겨울이라도
마음만은 풍족한 가을이다

떨어지는 낙엽도
누군가에겐 한 편의 시가 되니
겨울이 길다고
마냥 슬퍼할 일은 아니다

연착륙

부동산이 뜬 모양이다
비행기가 이륙하는 데 가장 많은 힘을 쓴다
움직이지 않는 부동산이 뜨기 위해서는
얼마나 많은 사람들의 많은 노력이 필요했을까
건설족, 언론, 투기꾼, 정부

이제 착륙을 이야기한다
연료가 떨어지기 전에 착륙해야 한다
연료가 떨어지면 추락이다

착륙하기 위해서는 강하를 해야 한다
뜰 때와 같이 저고도로 내려와야 한다
지면 가까이 내려와야 경착륙 연착륙을 이야기할 수 있다
자격 없는 기장이 착륙하면 추락이요
자격 있는 기장이 착륙하면 연착륙이다

이제 막 강하하기 시작한 비행기인데
경착륙 연착륙을 이야기하기는 이르지 않는가
뜨고 나면 연료가 떨어지기 전에 반드시 내려와야 한다

두 번의 죽음

피해 갈 수 없는 두 번의 죽음
그 중의 하나는 육체적 죽음이다

그것을 연장하는 것은
자식을 통해 유전자를 남기는 것

그렇기에 결혼을 하고
자식을 남기지 않는가

또 하나의 죽음은
사람들 기억에서 잊히는 죽음

사랑하는 내 유전자인 자식도
얼마 동안이나 기억에 남을까

그것을 연장하는 것은
기록을 남기거나 책을 쓰는 일

책을 통한 내 삶은
오랫동안 기억에 남아 있다

영혼은 영원히
죽지 않기에 영혼 아니던가

영혼을 살찌우면
다음 생이 풍부하지 않을까

영혼을 살찌우는 방법은
끊임없이 배우는 것이다

육체적 죽음이 다할 때까지
배우고 배우자

오천 년 후에
다시 돌아올지 모르니

아름다운 죽음

누구나 시한부 인생이다
왔으면 떠날 준비도 해야 한다
죽음은 슬픔이 아닌 기쁨이다

기독교인은 천당을 가니 기쁘고
불신자는 극락을 가니 기쁘고
무신자는 극락이나 천당을 선택할 수 있으니
죽음은 슬픔이 아닌 기쁨이다

그동안 잘 쓴 육체에 감사하고
떠날 때는 아름답게
중환자실의 생명 연장선은
효도가 아닌 육체와 돈에 대한 모독이다

육체를 떠날 때가 왔음을 느낄 때
곡기를 끊고, 물만 먹으며
죽기 직전 관장을 하여
아름다운 죽음을 맞이하자

죽음은 이별이 아닌 또 다른 만남이며
끝이 아닌 또 다른 시작이다
생로병사를 거스른 자가 어디 있으랴
노년의 준비된 죽음은 아름답다

연착륙은 우리의 운명

이륙했으면 착륙을 해야 한다
연착륙, 경착륙
조종사는 항상 연착륙해야 한다

가장 힘든 부분은 이륙이다
중력을 이기고 땅을 박차고 비상해야 한다
온 힘을 다 써야 하기 때문이다

이륙했다면
반드시
착륙해야 한다

순항을 할 수도 있고
난기류를 만날 수도 있고
눈보라를 만날 수도 있을 것이다

비행기든, 사람이든, 인생이든

이륙했으면
태어났으면
한평생 살았으면

반드시 착륙해야 한다
비행기는 연착륙해야 한다
나도 연착륙을 해야 한다

아름다운 착륙

이제 막 내렸다
연착륙 경착륙이 아닌
아름다운 착륙이다

일만 시간이 넘는다
중력을 거슬러
하늘에서 보낸 시간이

이제 또 이륙을 준비한다
승객을 태운 비행이 아닌
내 자유로운 영혼을 위한 비행이다

중력이 없는 영혼이니
또 다른 비행은
자유 비행이며
이 또한 아름다운 착륙이 될 것이다

은퇴 파티 중에서

작가의 호

"취공(翠空)" 푸른 하늘

나는 푸른 하늘이 좋다.
왠지 기분이 좋다.

가을이 좋다.
하늘이 푸르다.
먹을 것도 풍성하다.

언제 내가 시를 읽어 봤나?
기억도 없다.
그렇게 바쁘게 살아가고 있나?

시를 쓰지는 못해도
시를 읽기에 좋은 가을이 왔다.

시를 읽지는 못해도
가을의
푸른 하늘을 보고 있으니
왠지 기분이 좋다.